Is le

........................................

........................................

an leabhar seo

# An bhfuil Rún Agat?

**Scríofa ag Jennifer Moore-Mallinos**

**Maisithe ag Marta Fàbrega**

**Leagan Gaeilge le Tadhg Mac Dhonnagáin**

Futa Fata

An bhfuil rún agatsa?
An rún deas é nó ceann nach bhfuil chomh deas sin?

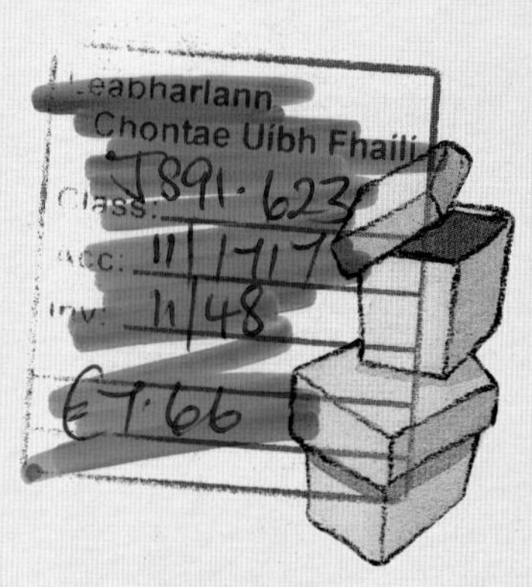

Más rún deas atá ann, déanfaidh sé sona sásta tú.
An bhfuil tú in ann cuimhniú ar rún deas?

Dá mbeifeá ag coinneáil rúin faoi bhronntanas speisialta le haghaidh breithlá do Dhaidí nó do Mhamaí, an rún deas a bheadh ansin?

Tá an ceart agat! Bíonn sé go deas rún mar sin a choinneáil, mar déanfaidh sé tú féin agus Daidí nó Mamaí sona sásta nuair a fhaigheann siad an bronntanas speisialta.

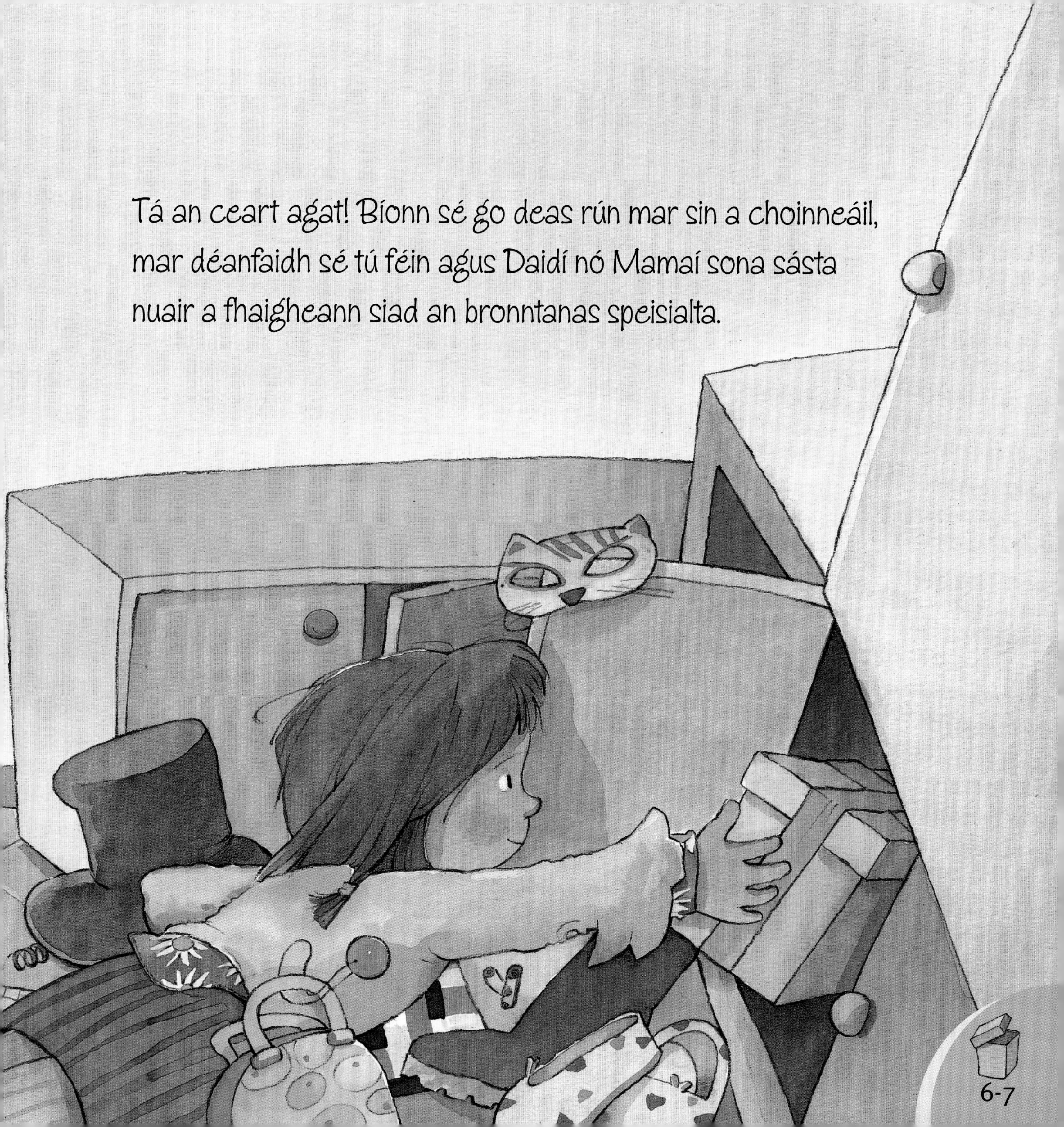

An bhfuil tú in ann cuimhniú ar rún ar bith eile atá go deas le coinneáil? Cóisir rúnda do do dheartháir– sin ceann eile!

Samhlaigh nuair a shiúlann sé isteach
agus gach duine ag fanacht leis!

Nó bealach rúnda le lámh a chraitheadh le do chara –
an rún é sin atá go deas le choinneáil? Is ea, cinnte!
Bíonn an-spraoi ag baint le rún den chineál sin.

Nó ar imir tú cluiche "imigh i bhfolach" riamh agus cúnamh a thabhairt do chara leat áit mhaith a fháil? Sin rún atá go hiontach le coinneáil.

An bhfuil a fhios agat cén rún atá agamsa?
Nuair a bhímse ag dul a chodladh san oíche, is maith liom codladh le mo theidí, Taimín. Uaireanta, bíonn faitíos orm sa dorchadas, ach má bhíonn Taimín in aice liom, bím ceart go leor. Céard fút féin?
An bhfuil rún deas ar bith agat féin?

Agus céard faoi rún nach
bhfuil go maith le coinneáil?
Drochrún? Is rún é an drochrún
a chuireann isteach ort.
Ní dhéanann sé sona sásta tú.
Déanann sé brónach tú. An t-aon
leigheas atá ar an dorchrún ná
inseacht do dhuine fásta faoi.

Má choinníonn tú rún faoi dhuine éigin a ghortaigh tú, duine a bhuail tú nó a tharraing cic ort, meas tú an rún deas a bheadh ansin, nó drochrún?
Tá an ceart agat! Drochrún a bheadh ann, mar níl aon cheart ag éinne eile tú a ghortú.

Abair má fheiceann tú páiste mór ar scoil ag tógáil milseán nó bréagán nó rud éigin eile ó pháiste beag? An rún é sin a bheadh go deas le coinneáil? Tá an ceart agat! Drochrún é sin!

Níl aon cheart ag páiste mór rud éigin a bhaint de pháiste beag, díreach mar go bhfuil sé níos láidre agus go bhfuil faitíos ar an bpáiste beag roimhe.

An bhfuil tú in ann smaoineamh ar aon chineál drochrúin eile? Dá leagfadh duine éigin lámh ort ar bhealach nár thaitin leat, ar bhealach a chuir isteach ort, ar cheart duit é sin a choinneáil faoi rún?
Níor cheart – drochrún é sin.
Ba cheart duit inseacht do dhuine fásta faoi ar an bpointe.

Ach má deireann duine éigin leat drochrún a choinneáil, ar cheart duit an rún sin a choinneáil? Níor cheart, ar chor ar bith! Má dhéanann duine éigin drochrud éigin ort, níl aon chead aige a rá leatsa an drochrud sin a choinneáil faoi rún. Drochrún amach is amach é sin. Caithfidh tú inseacht do dhuine fásta faoi.

Ach cén duine fásta ba cheart duit labhairt leis? Ba cheart duit labhairt le duine éigin a bhíonn go deas leat, duine éigin a bhfuil tú mór leis nó léi – do Mhamaí nó do Dhaidí, b'fhéidir, nó d'aintín nó d'uncail, nó múinteoir ar scoil, fiú. Is rud an-mhaith é an drochrún a scaoileadh!

A

Mar bíonn spraoi ag baint
le rún a choinneáil, go háirithe
más scéal é a dhéanfaidh tú
féin nó duine eile sona sásta.
Rún maith é sin. Ach rún a
choinneáil faoi rud éigin a
ghortaigh tú nó rud éigin a
chuir isteach ort nó rud éigin
a chuir faitíos ort, ní maith an
plean é sin. Is é an rud
ceart le déanamh i
gcónaí má bhíonn
drochrún agat ná
é a scaoileadh le
duine fásta.

Uaireanta, ní bhíonn sé éasca drochrún a scaoileadh le duine fásta. Mar sin, bíodh misneach agat. Agus ná déan dearmad – rud an-mhaith i gcónaí é an drochrún a scaoileadh. Agus ní amháin sin, ach déanfaidh sé tusa níos sásta chomh maith.
An bhfuil rún agatsa?

# Nóta do na daoine fásta

Ón taithí atá agam féin mar oibrí sóisialta páistí, tá mé tar éis teacht ar thuiscint an-mhaith ar na deacrachtaí atá ag páistí óga i saol an lae inniu. Is cuid den saol sin, faraor géar, an mhí-úsáid a bhaintear as páistí – bíodh sin ina mí-úsáid gnéis, ina mí-úsáid fhisiciúil, ina mí-úsáid mhothálach nó ina mí-úsáid a bhaineann le neamhaird.

Is faoi na tuismitheoirí agus na daoine proifisiúnta atá gach cúnamh a thabhairt do pháistí chun iad féin a choinneáil sábháilte sa saol ina maireann siad.

Is í an aidhm atá le "An bhfuil Rún Agat?" ná comhrá a spreagadh agus eolas a thabhairt. Cabhraíonn sé sin le páistí na rúin atá go deas a aithint ó na rúin a d'fhéadfadh cur isteach orthu. Nuair a bheidh an t-eolas seo acu, beidh smacht níos mó ag páistí ar a saol agus ar a gcuid sábháilteachta féin.

Má tharlaíonn sé riamh go nochtann páiste drochrún duit, moltar duit cúnamh a fháil ó dhuine proifisiúnta – garda, cuir i gcás, nó na seirbhísí sóisialta. Muna bhfuil tú cinnte cén duine is fearr le cúnamh a fháil uaidh, is fearr labhairt le do dhochtúir – beidh sise nó seisean in ann comhairle a chur ort maidir leis an gcúnamh is fearr a fháil don chás ina bhfuil tú.

Bíodh is gur ábhar tromchúiseach é seo, ná déan dearmad go bhfoghlaimíonn páistí ó bheith ag spraoi. Tá spraoi ag baint leis na samplaí sa leabhar a bhaineann le rúin dheasa. Bíodh spraoi agat á léamh – aisteach go leor, má thugann tú faoin leabhar go spraoiúil agus go fuinniúil, is fearr a thuigfidh do pháiste cé chomh tábhachtach is atá an teachtaireacht atá le fáil ann.

*Jennifer Moore-Mallinos*

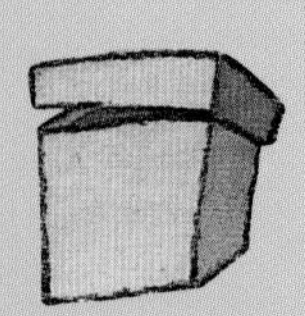

Foilsithe den chéad uair © 2005 ag Gemser Publications S.L.
Barcelona, An Spáinn, faoin teideal "¿Tienes Un Secreto?".

Leagan Gaeilge © 2009 Futa Fata – an chéad chló

Clóchur Gaeilge: Anú Design



ISBN: 978-0-9550983-9-0

An Chomhairle um Oideachas
Gaeltachta & Gaelscolaíochta

Gabhann Futa Fata buíochas le COGG – An Chomhairle um Oideachas Gaeltachta agus Gaelscolaíochta as ucht cúnamh airgid a chur ar fáil d'fhoilsiú na sraithe "Bímis ag Caint Faoi".